Les chatons magiques

Au cirque

L'auteur

La plupart des livres de Sue Bentley évoquent le monde des animaux et celui des fées. Elle vit à Northampton, en Angleterre, et adore lire, aller au cinéma, et observer grenouilles et tritons qui peuplent la mare de son jardin. Si elle n'avait pas été écrivain, elle aurait aimé être parachutiste ou chirurgien, spécialiste du cerveau. Elle a rencontré et possédé de nombreux chats qui ont à leur manière mis de la magie dans sa vie.

Dans la même collection

1. *Une jolie surprise*
2. *Une aide bien précieuse*
3. *Entre chats*
4. *Chamailleries*
5. *En danger*

Vous avez aimé

les chatons magiques

Écrivez-nous
pour nous faire partager votre enthousiasme :
Pocket Jeunesse, 12, avenue d'Italie, 75013 Paris

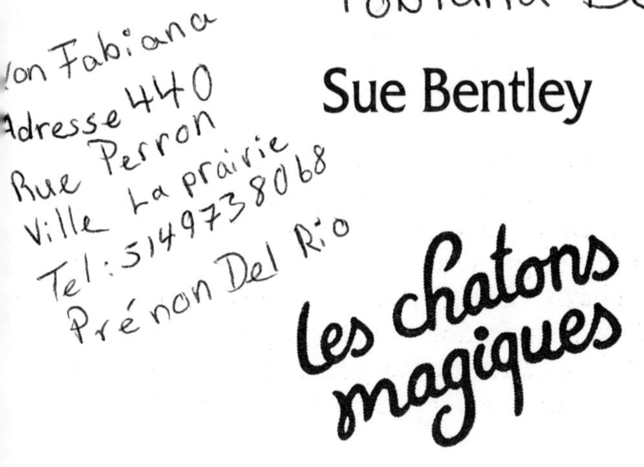

Sue Bentley

Les chatons magiques

Au cirque

Traduit de l'anglais par Christine Bouchareine

POCKET JEUNESSE

Titre original :
Magic Kitten – A Circus Wish

Publié pour la première fois en 2006
par Puffin Books, département de Penguin Books Ltd, Londres.

À Lucky, le petit chat noir et blanc d'à côté

Loi n° 49-956 du 16 juillet 1949 sur les publications
destinées à la jeunesse : novembre 2008.

ISBN 978-2-266-18384-0

Avis de recherche

As-tu vu ce chaton ?

Flamme est un chaton magique de sang royal, et son oncle Ébène est très impatient de le retrouver. Flamme est difficile à repérer, car son poil change souvent de couleur, mais tu peux le reconnaître à ses grands yeux vert émeraude et à ses moustaches qui grésillent de magie !

Il est à la recherche d'un ami qui prendra soin de lui.

Et s'il te choisissait ?

Si tu trouves ce chaton très spécial, merci d'avertir immédiatement Ébène, le nouveau roi.

Prologue

Le jeune lion sentit son cœur s'emballer quand il observa la plaine et les montagnes qui miroitaient au loin sous la chaleur. Tout était tranquille. Il eut une bouffée d'espoir. Peut-être n'avait-il plus besoin de se cacher.

Soudain, un grondement déchira le silence. Un énorme lion noir se rua sur lui.

— Ébène ! gémit-il, terrorisé.

Avant de comprendre ce qui lui arrivait, il fut ébloui par un éclair aveuglant et une pluie d'étincelles argentées. Et le jeune lion blanc se retrouva transformé en un minuscule chaton noir comme du charbon.

Tremblant de peur, le petit animal recula à pas lents vers les broussailles, hors de vue du monstre.

Il y eut un mouvement près de lui. Un vieux lion grisonnant apparut et inclina la tête devant lui.

— Salutations, prince Flamme. Je suis heureux de vous voir sain et sauf. Mais vous avez mal choisi votre moment pour revenir.

Flamme accueillit son vieil ami avec calme.

— Bonjour, Cirrus. J'ai comme l'impression que mon oncle gouverne toujours mon royaume.

— Hélas ! Et ses espions continuent à vous traquer. S'ils vous trouvent, personne n'empêchera ce démon de vous tuer.

Flamme releva son petit menton. Ses grands yeux vert émeraude brillaient de colère.

— Un jour je le défierai et je reprendrai la place qui me revient sur le Trône du Lion !

Cirrus hocha la tête et un sourire de fierté plissa son museau ridé.

— En attendant, vous devez disparaître. Et tant que vous n'aurez pas grandi en force et en sagesse, il vous faudra garder ce déguisement.

Un autre rugissement retentit. Flamme vit à travers les hautes herbes une forme sombre bondir vers eux.

— Partez ! Sauvez-vous ! le pressa Cirrus.

Dans un nouvel éclair, Flamme se sentit tomber… tomber… tomber…

1

Chloé Duval se concentra, prit son élan et bondit. Elle s'enroula et, après un salto parfait, atterrit avec légèreté sur ses pieds nus.

Ses camarades de classe l'applaudirent en poussant des hourras.

— Merci, chères admiratrices, plaisanta-t-elle en exécutant une courbette.

Elle adorait la gymnastique et l'atelier de cirque proposé par son collège avait réellement révélé son talent. Elles avaient démarré la séance par un échauffement et maintenant elles enchaînaient par des exercices au sol. Elle ne s'était jamais autant amusée !

— C'était génial, Chloé ! Bravo ! la félicita Célia.

Chloé repoussa sa longue tresse blonde dans son dos et sourit à la jeune acrobate. Célia Tomani était une trapéziste de l'école de cirque voisine, venue leur enseigner les bases de son art.

Elle était grande pour ses douze ans et très jolie avec ses cheveux bruns coupés court, son allure assurée et son petit chien Presto qui ne la quittait pas d'une semelle.

Célia se tourna vers une autre élève, la meilleure amie de Chloé.

— À toi, Inès. Surtout ne tente rien de compliqué au début.

— Vas-y ! l'encouragea Chloé.

Inès s'avança, le visage crispé par la concentration. Elle voulut exécuter une simple roulade, mais se prit les pieds dans le matelas et s'étala de tout son long.

La classe explosa de rire.

— Taisez-vous, idiotes ! grommela Chloé.

Elle courut aider son amie à se relever.

— Ça va ?

Inès la repoussa, rouge de honte.

— Laisse-moi tranquille ! La salle entière nous regarde maintenant !

— Oh, excuse-moi !

Chloé s'empourpra à son tour et recula tandis qu'Inès passait devant elle, furieuse. Elle ne lui en voulait pas mais elle regrettait qu'Inès n'apprécie pas cet atelier autant qu'elle.

Célia et son petit chien se dirigèrent ensuite vers des élèves de la classe supérieure qui travaillaient les équilibres. On entendait fuser des rires çà et là.

— Chloé ! Viens essayer les échasses ! lança Célia. C'est un peu difficile au début mais tu devrais y arriver.

Chloé se tourna vers Inès et la tira par le bras.

— Tu viens ?

— Non. Ça m'étonnerait que Célia veuille d'un éléphant comme moi sur ces machins.

— Tu peux au moins regarder.

— Non, je préfère aller me chercher une boisson. À plus ! lança-t-elle avant de se diriger vers les distributeurs.

Chloé hésita. Devait-elle l'accompagner ? Son amie avait vraiment l'air de s'ennuyer.

— Je t'attends, Chloé ! cria Célia.

— J'arrive !

C'était très amusant de se déplacer sur les échasses à travers le gymnase ! Avec son sens inné de l'équilibre, Chloé n'eut aucun mal à suivre les autres.

Quand le moment de la pause arriva, Mlle Munier, leur professeur d'éducation physique, leur demanda de s'asseoir en cercle.

— Célia a proposé gentiment de nous faire une démonstration. Vous verrez ainsi ce qu'on peut obtenir avec du travail.

— Chouette ! se réjouit Chloé en se laissant tomber à côté d'Inès.

— Tu parles, bougonna cette dernière. Célia va encore en profiter pour faire l'intéressante.

Chloé la dévisagea, étonnée.

— Qu'est-ce qui t'arrive ? Tu ne l'aimes pas ?

— C'est tout juste si elle m'adresse la parole.

— Il faut dire que tu ne participes pas beaucoup…

— Quoi ! Tu la défends ?

— Pas du tout…

— Un peu de silence ! les coupa Mlle Munier. Célia va commencer.

Célia avait remplacé son survêtement par un justaucorps rouge, bordé d'un galon doré à l'encolure et aux poignets. Elle releva ses bras en un geste gracieux, puis bascula en avant et exécuta d'emblée un appui sur les mains.

Les yeux écarquillés, Chloé la regarda enchaîner dans la foulée un salto arrière groupé puis une incroyable série de sauts, alternant vrilles et flips. Son corps semblait couler d'une figure à l'autre. Elle termina par un nouvel équilibre sur les mains avant d'atterrir sur le sol en grand écart.

Presto, qui n'avait cessé de l'observer, se précipita vers elle en remuant la queue. Il se dressa sur ses pattes arrière et exécuta une pirouette devant elle, acclamé par les collégiennes.

Chloé applaudit comme une folle, épatée.

Elle aurait tout donné pour être aussi douée que Célia !

Celle-ci se redressa et prit Presto dans ses bras. Le petit chien lui lécha le menton en poussant un jappement de joie.

— Merci. Vous êtes très gentilles. Presto a appris ce tour tout seul.

Mlle Munier remercia Célia pour son atelier et sa démonstration.

— Nous avons adoré les figures que vous nous avez enseignées.

Une nouvelle salve d'applaudissements et de hourras salua cette déclaration.

Célia considéra les élèves l'une après l'autre avec un grand sourire.

— Moi aussi, j'ai passé un bon moment avec vous. Sachez donc que nous donnons des cours de cirque, chaque soir de la semaine, à la maison des jeunes. Vous trouverez les prospectus sur la table près de la porte. Celles que cela intéresse n'ont qu'à mettre leur nom sur la liste.

Un murmure d'excitation parcourut le gymnase tandis que Célia partait se changer. Quelques filles se dirigèrent vers la table et examinèrent les publicités. Chloé en prit une et revint vers Inès.

— Ça a l'air génial. On s'inscrit ?

— Tu sais, les acrobaties, c'est pas mon truc.

— Ce n'est pas grave. Regarde, ils proposent plein d'autres activités comme le jonglage ou la comédie. On va s'amuser !

— Du jonglage ? répéta Inès.

Son visage s'éclaira pour la première fois de la journée.

— Dans ce cas, je veux bien essayer.

Pendant que les deux amies ajoutaient leurs noms sur la feuille, Célia s'approcha, Presto sur ses talons.

— Je suis contente que tu viennes, Chloé. Tu as un vrai talent pour les acrobaties. Un jour, tu seras peut-être une artiste, toi aussi.

Chloé rayonna de plaisir.

— Merci, mais je ne serai jamais aussi douée que toi.

Célia éclata de rire.

— N'oublie pas que j'ai une longueur d'avance. Je suis ce qu'on appelle une « enfant de la balle ». Papa dit qu'il faut du talent, évidemment, mais que seul le travail acharné et un engagement total permettent de réussir dans ce métier. Il dit également, ajouta-t-elle d'une voix plus douce en se tournant vers Inès, que tout le monde possède un don mais qu'il faut parfois du temps pour le découvrir.

Les joues rondes d'Inès s'empourprèrent.

— Le mien doit être bien caché, alors ! ricana-t-elle avant de pivoter vers Chloé. Tu es prête ? Ma mère m'attend.

Chloé se précipita à la suite d'Inès vers le vestiaire.

— Au revoir, Célia ! lança-t-elle. On se reverra à la maison des jeunes !

En chemin, son regard fut attiré par une affiche du cirque. Elle représentait les Tomani en plein numéro de trapèze, avec Célia vêtue d'un justaucorps pailleté.

L'imagination de Chloé s'emballa. Elle vit son nom sous les projecteurs et entendit les acclamations du public tandis qu'elle tourbillonnait dans les airs comme par magie !

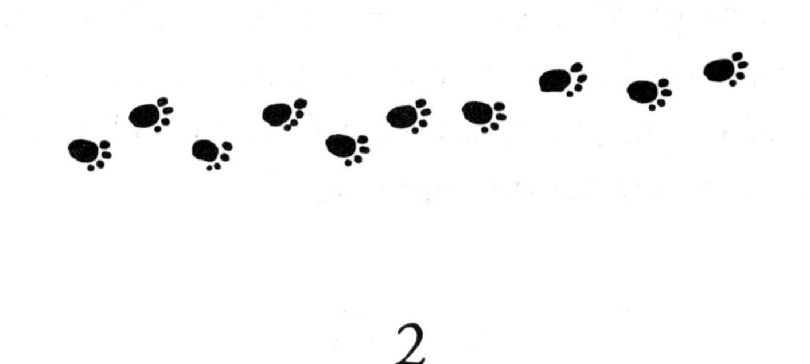

2

Chloé rejoignit Inès, tout excitée.

— Tu as entendu ce qu'elle a dit ? Elle trouve que j'ai du talent !

— Elle raconte ça à tout le monde, marmonna Inès sans se retourner. C'est sans doute pour attirer un maximum d'élèves à ses cours.

La remarque ébranla la bonne humeur de Chloé.

— Tu crois vraiment qu'elle n'en pensait pas un mot ?

Inès lui jeta un coup d'œil, le visage écarlate.

— Quelle importance ?

Elle se tut subitement et haussa les épaules.

— Arrête, je plaisante ! Allez, la première habillée !

— C'est parti ! répondit Chloé en retirant son tee-shirt et son short à toute vitesse.

Inès se changea en moins de deux. Mais elle perdit du temps à enfiler ses chaussures avec ses pieds gonflés. En mettant sa chaussette, Chloé perdit l'équilibre.

— Oh, désolée ! s'esclaffa-t-elle tandis qu'elle s'écroulait sur Inès.

— Tricheuse ! Tu l'as fait exprès !

Prises d'un fou rire, les deux amies s'affalèrent sur le banc en s'accrochant l'une à l'autre.

— C'est ce que j'appelle un match nul ! hoqueta Chloé.

Inès passa son sac en bandoulière et l'aida à se lever.

— Entièrement d'accord ! Allez, viens. On va être en retard. Je dois retrouver ma mère chez le coiffeur. Elle m'offre une coupe de cheveux pour mon anniversaire.

— Veinarde ! murmura Chloé avec envie en tripotant sa natte. C'est toujours ma mère qui me les coupe.

Elles arrivaient à la porte de l'école lorsque Chloé poussa un cri.

— J'ai oublié mes affaires de classe au vestiaire !

— Ça ne risque rien. Tu les retrouveras demain, assura Inès.

Chloé se mordilla la lèvre, indécise.

— Oui, mais j'ai un devoir de math à terminer. Il me faut mon livre. Il vaut mieux que je retourne le chercher.

— Tu veux que je vienne avec toi ? proposa Inès en retenant un geste d'impatience.

Chloé repartait déjà en courant.

— Non, ne m'attends pas. À plus tard !

Les couloirs étaient déserts, le gymnase et le vestiaire plongés dans l'obscurité. L'écho de ses pas lui donna la chair de poule quand elle se dirigea vers l'interrupteur. Une seule rangée de néons s'alluma en clignotant, laissant une partie des bancs et des portemanteaux dans l'ombre.

Chloé repéra ses livres là où elle les avait

laissés. À l'instant où elle se penchait pour les prendre, elle aperçut un éclair de lumière du coin de l'œil.

— Y a quelqu'un ? demanda-t-elle en regardant autour d'elle.

Personne ne répondit. Elle frissonna. Elle se secoua en se disant qu'elle était idiote d'avoir peur. C'était sans doute le concierge qui avait allumé une classe de l'autre côté. Elle allait ressortir lorsqu'elle distingua une faible lueur sur un banc.

Intriguée, Chloé s'avança lentement. Elle découvrit un minuscule chaton tapi dans l'angle de la pièce, son poil noir parcouru d'étincelles. Elle cligna des yeux. Quelqu'un aurait-il oublié un jouet en peluche ?

Alors qu'elle s'approchait, les étincelles s'éteignirent. Le chaton semblait bien vivant avec sa fourrure soyeuse et ses grands yeux vert émeraude.

— Tu es trop mignon ! Je me demande à qui tu appartiens, déclara-t-elle à voix haute.

— À personne, miaula le chaton en s'asseyant.

Chloé l'observa, la bouche ouverte.

— Tu… tu parles !

Elle en lâcha ses livres qui s'écrasèrent sur le plancher dans un fracas épouvantable. Le chaton se dressa sur ses quatre pattes, les poils hérissés.

— Mia… ou !

— Dé… désolée. Ils… ils m'ont échappé, bégaya-t-elle.

Elle n'en croyait ni ses yeux ni ses oreilles. Mais elle ne voulait surtout pas effrayer ce merveilleux chaton : elle s'accroupit pour paraître la plus petite possible.

Il faisait toujours le gros dos mais Chloé vit la peur s'estomper dans ses yeux d'émeraude.

— Comment t'appelles-tu ? demanda-t-il d'une voix de velours.

— Chloé. Chloé Duval. Et toi, qui es-tu ?

— Je suis le prince Flamme, déclara fièrement le chaton, en levant le menton. L'héritier du Trône du Lion.

— Le Trône du Lion ? répéta-t-elle en le regardant d'un air étonné.

Flamme ne répondit pas mais son pelage noir se mit à étinceler. Le chaton sauta sur le sol et un éclair aveugla Chloé.

— Oh, s'écria-t-elle en voyant apparaître un majestueux lion blanc. C'est toi, Flamme ?

— Oui, confirma-t-il d'une voix grave. N'aie pas peur.

Mais déjà, dans un nouvel éclair aveuglant, il reprenait son apparence de chaton.

— Ouah ! Tu es réellement un lionceau royal ! chuchota-t-elle. Personne ne pourrait le deviner. Ton déguisement est réussi.

— Sauf qu'il ne suffira pas à me sauver si mon oncle me retrouve. S'il te plaît, Chloé... tu acceptes de me cacher ? Je suis en grand danger.

Chloé sentit son cœur fondre. Elle prit le chaton dans ses bras.

— Tu peux compter sur moi. Mais qui te recherche, as-tu dit ?

— Mon oncle Ébène. Il a volé mon trône. Et il a lancé ses espions à mes trousses. S'ils m'attrapent, ils me tueront.

Chloé lui caressa la tête.

— Alors nous ferons en sorte qu'ils ne te retrouvent jamais. Je vais te ramener à la maison. Tu pourras vivre avec...

Elle s'arrêta au milieu de sa phrase. Flamme la dévisagea.

— Tu as un problème, Chloé ?

— J'avais juste oublié que mon père était allergique aux chats.

— Qu'est-ce que ça veut dire, allergique ?

— Quand tu es allergique à quelque chose, ça te rend malade. Papa tousse et ses yeux se mettent à larmoyer dès qu'il s'approche d'un chat. Jamais il ne me permettra de te garder.

Flamme hocha la tête.

— Oh, je comprends ! Merci pour ta gentillesse, Chloé. Je trouverai quelqu'un d'autre, ne t'inquiète pas.

— Non ! Attends !

Chloé n'avait aucune envie de le laisser partir. Elle réfléchit à toute vitesse. Il devait bien y avoir une solution.

— Je sais ! Je vais t'introduire chez moi en cachette. Tu vivras dans ma chambre. Papa ne remarquera rien. C'est génial ! J'ai hâte de raconter à Inès que tu parles et tout le reste. C'est ma meilleure am…

Flamme posa ses deux petites pattes noires sur sa poitrine.

— Tu ne dois révéler mon secret à personne !

Chloé eut une bouffée d'affection pour le minuscule chaton si vulnérable.

— D'accord, Flamme. Je te promets de ne rien dire. Ce sera notre secret.

— Merci.

Il frotta sa petite tête contre son menton.

— Il est temps de rentrer. Tu veux bien te glisser dans mon sac ?

Elle ouvrit son cartable. Flamme sauta à l'intérieur, puis s'installa sur ses livres. Il ronronnait déjà quand elle éteignit le vestiaire et se dirigea vers la sortie du collège.

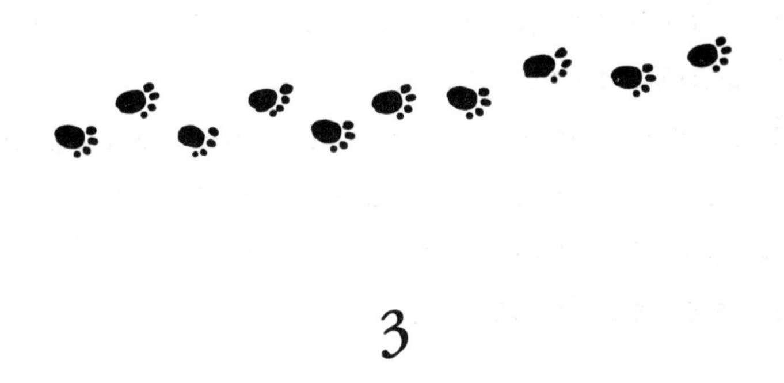

3

Le lendemain matin, Chloé fut réveillée par quelque chose qui lui chatouillait le bout du nez. Ses doigts effleurèrent une paire de moustaches.

— Bonjour ! ronronna joyeusement Flamme à son oreille.

— Flamme !

C'était son chaton magique secret ! Il était vraiment là, en chair et en os, dans sa chambre. Elle le caressa tendrement.

— Tu as bien dormi ?

Flamme se blottit contre elle.

— Oh, oui, merci. Je me sens en sécurité avec toi.

Chloé serait restée des heures à le câliner mais elle avait rendez-vous avec Inès au centre commercial. Et puis Flamme devait mourir de faim. Elle repoussa sa couette, se leva d'un bond et s'habilla en vitesse.

— Je descends prendre mon petit déjeuner et je te rapporte à manger.

Flamme sauta sur le rebord de la fenêtre pour contempler le jardin.

— Fais attention que personne ne te voie ! le mit-elle en garde.

— Ne t'inquiète pas. Je vais me rendre invisible.

— Tu peux faire ça ?

Il hocha sa petite tête.

— Voilà une excellente nouvelle ! se réjouit-elle.

Chloé engloutit son petit déjeuner en quelques minutes et remonta avec un verre de lait.

— C'est tout ce que j'ai trouvé. Je vais t'acheter de la nourriture pour chat avec mon argent de poche.

Flamme lapa le lait en ronronnant. Pendant qu'il faisait sa toilette, Chloé enfila sa veste et posa son sac sur le lit.

— Tu peux te remettre à l'intérieur ? Il vaut mieux être prudents. Je dois aller parler à mon père.

M. Duval, dans le garage, était occupé à ranger son établi. Il sourit en voyant Chloé.

— Je parie que tu viens chercher ton argent de poche.

— Oui, tu peux me le donner maintenant, s'il te plaît ?

Elle faillit s'évanouir de frayeur lorsque Flamme sortit la tête du sac. Puis elle se souvint que son père ne pouvait pas le voir.

— Tiens, ma chérie…

M. Duval commençait à avoir les yeux qui pleuraient. Il renifla bruyamment.

— Atchoum ! Flûte, j'ai dû m'enrhumer !

— Mon pauvre papa ! compatit Chloé en ressortant précipitamment. Merci pour l'argent. À plus tard.

— À plus tard. Atchoum !

Quand Chloé arriva à la galerie marchande, Inès n'était pas encore là. Elle alla l'attendre sur un banc. Elle se pencha vers Flamme.

— Tu peux te montrer. Je ne vois personne de connu à l'horizon.

Flamme bondit sur ses genoux. Elle le caressa en regardant les passants. Soudain, un petit chien courut vers elle, avec sa laisse qui traînait derrière lui.

— Presto ! l'appela-t-elle en attrapant la laisse. Où est Célia ? Tu t'es enfui, petit coquin ?

Presto lui fit la fête, puis il vit Flamme et aboya en remuant joyeusement la queue. Le chaton agita les moustaches et sauta sur le sol.

— Comme ils sont mignons ! Ils font ami-ami !

Chloé releva la tête et aperçut Célia.

— Oh, bonjour, Célia !

— Bonjour, Chloé. Heureusement que tu étais là ! Presto m'a arraché sa laisse des mains et il est parti comme un fou. Merci de l'avoir rattrapé.

Inès arriva au même moment en courant.

— Je suis désolée d'être en retard, s'excusa-t-elle, hors d'haleine. Oh, salut ! ajouta-t-elle d'un ton à peine aimable en voyant Célia.

— Bonjour… J'adore ta nouvelle coupe, déclara Célia avec un grand sourire.

Inès ne répondit pas car elle venait d'apercevoir Flamme. Surprise, elle écarquilla les yeux.

— Quel adorable chaton ! Il est à toi, Célia ?

— Non, il est à moi, intervint Chloé. Il s'appelle Flamme. Je l'ai trouvé hier soir. Et j'ai décidé de l'adopter.

Célia se pencha pour le caresser.

— Il est magnifique, Chloé !

— Superbe ! renchérit Inès. Et j'adore son nom. Mais ton père n'a rien dit ? Je croyais qu'il était allergique aux chats !

— Il ignore son existence, avoua Chloé. Je le cache dans ma chambre. Tu me promets de ne rien dire à mes parents ?

Elle s'en voulait de ne pouvoir lui avouer la vérité, quoique Inès ne l'aurait pas crue de toute façon !

— D'accord. Mais je ne voudrais pas être à ta place quand ton père le découvrira.

Chloé leva les yeux au ciel.

— On verra ça le moment venu !

— J'allais rentrer chez moi, annonça Célia. Cela vous dirait de venir goûter à la maison ? Vous pourrez ainsi faire la connaissance de mes parents et du reste de la troupe.

Chloé s'empressa d'accepter, ravie.

— Oh, oui ! Cela nous plairait beaucoup, n'est-ce pas, Inès ?

— Je voulais te proposer d'aller au cinéma, répondit cette dernière, dépitée.

— On ira une autre fois !

Inès hésita une seconde puis sourit.

— Oui, tu as raison. J'accepte ton invitation avec plaisir, Célia.

Le cirque se trouvait à peine à quelques minutes de marche. Il était installé dans un ancien cinéma dont la façade avait été repeinte de rayures jaunes et rouges à la façon d'un chapiteau. De gros piliers bleu vif constellés d'étoiles encadraient l'entrée.

De grandes affiches multicolores annonçaient les dates et les horaires des prochaines représentations.

— Je me suis toujours demandé à quoi ressemblait l'intérieur, chuchota Chloé à Flamme.

Le chaton serré dans les bras, elle contempla avec curiosité l'immense cour dans laquelle elles venaient d'entrer. De tous côtés, on voyait des acrobates en justaucorps ou en pantalons de survêtement s'entraîner sur des tapis.

Célia conduisit ses deux invitées vers une caravane dernier cri. Une bonne odeur de cire au citron flottait dans l'air. Il y avait un gros canapé et des fauteuils couverts de coussins aux couleurs éclatantes. Des bibelots en verre et en porcelaine ornaient les appuis des fenêtres.

— Papa, maman, je vous ai amené deux amies. Inès et Chloé, je vous présente mes parents, Olga et Victor Tomani.

Chloé sourit aux parents de Célia qui avaient, comme elle, la peau mate et les cheveux noirs. Célia ressemblait surtout à son père.

Chloé et Inès s'avancèrent vers eux.

— Bonjour, je suis Chloé. Ravie de faire votre connaissance.

— Moi, je m'appelle Inès. Enchantée.

— C'est toujours un grand plaisir pour nous de recevoir des amies de Célia, déclara Olga avec un sourire chaleureux. Je vous en prie, asseyez-vous.

Elle prépara du thé et sortit un superbe gâteau au chocolat. Elle ouvrit même une boîte de sardines pour Flamme et donna un os à Presto.

Flamme se jeta sur son assiette en ronronnant.

Victor le contempla, un sourire aux lèvres.

— Un chat noir, ça porte bonheur, surtout quand il a des yeux aussi verts. En plus, il m'a l'air d'être un chat tout à fait spécial.

Chloé sourit. Elle était bien placée pour le savoir.

Pendant qu'elles dégustaient le délicieux gâteau, Olga leur apporta un album de coupures de journaux. Les deux filles le feuilletèrent, très intéressées. On y voyait Célia en représentation avec ses parents sur les pistes de cirques du monde entier. Elle se produisait depuis l'âge de quatre ans.

— On peut dire que je suis née avec de la sciure dans le sang ! déclara fièrement la jeune artiste.

— Ça doit gratter ! plaisanta Chloé.

Tout le monde éclata de rire.

Flamme et Presto avaient fini de manger et s'étaient blottis l'un contre l'autre sur le canapé. Au moment de partir, Chloé dut chatouiller le chaton sous le menton pour le réveiller.

— Vous reviendrez, d'accord ? leur fit promettre Célia avant de les quitter.

— Avec joie, répondit Chloé.

Elle s'attendait à ce qu'Inès renchérisse mais celle-ci resta bizarrement silencieuse.

Dans la cour, les acrobates s'entraînaient toujours, le corps brillant de sueur. Chloé aurait pu rester des heures à les contempler.

À son grand soulagement, Inès parut retrouver sa bonne humeur sur le chemin du retour. Chloé se souvint brusquement qu'elle devait lui acheter un cadeau d'anniversaire.

— J'ai une course à faire Ça ne t'ennuie pas si je te laisse rentrer seule ?

— D'accord. Alors à lundi.

— Je passerai te prendre chez toi. Et n'oublie pas que nous devons aller au cours de cirque le soir.

— Avec toi, je ne risque pas d'oublier ! rétorqua Inès. Au revoir !

Après avoir acheté de la pâtée pour Flamme, Chloé s'aperçut qu'il ne lui restait plus beaucoup d'argent pour Inès. Elle continua à tourner dans les rayons à la recherche d'un cadeau dans ses moyens.

Flamme sortit la tête de son sac au moment où elle examinait un gros carnet brodé de paillettes et de perles.

— Oh, il est magnifique ! s'extasia-t-elle avant de le reposer à regret.

— Qu'est-ce qui te tracasse ? s'enquit Flamme.

— Inès aurait adoré ce carnet. Malheureusement je ne peux lui offrir que celui-ci, soupira-t-elle en en prenant un plus petit, avec un stylo violet orné d'un cœur rose qui s'allumait quand on s'en servait. J'espère qu'il lui plaira quand même.

Elle se dirigea vers la caisse sans remarquer l'expression pensive du chaton.

De retour chez elle, elle ouvrit la porte tout doucement : ses parents parlaient dans la cuisine. Elle monta à pas de loup jusqu'à sa chambre, cacha les boîtes de pâtée dans son placard et posa le sac en plastique qui contenait le cadeau d'Inès sur son lit.

Flamme sauta sur la couette et se coucha en bâillant, ce qui découvrit ses petites dents pointues.

— Tu dois avoir envie de dormir après ce festin de sardines. À tout à l'heure !

Elle lui fit une dernière caresse et descendit rejoindre ses parents.

Sa mère lisait le journal pendant que son père préparait du chocolat chaud.

— Bonsoir, ma chérie. Je ne t'ai pas entendue rentrer, dit-il. Vous avez passé un bon après-midi avec Inès ?

— Excellent ! Tu ne devineras jamais où nous sommes allées !

Elle se glissa sur la chaise à côté de sa mère et leur raconta comment elle avait fait la connaissance des parents de Célia.

— Il y avait un délicieux gâteau au chocolat pour le goûter. Ils ont même ouvert une boîte de sardines pour… pour moi, se rattrapa-t-elle in extremis.

Sa mère plissa les yeux, intriguée.

— Mais tu détestes les sardines !

— Non, non, maintenant, je les adore, tu sais.

Elle s'empressa de changer de sujet.

— Enfin, peu importe ! Figure-toi qu'ils nous ont montré des articles de journaux étonnants et…

Chloé s'arrêta net, interrompue par un énorme bruit au-dessus de sa tête.

Son père resta la cuillère en l'air.

— Qu'est-ce que c'était, ce vacarme ?

— Euh... de quoi tu parles ? Je n'ai rien entendu, mentit-elle, le cœur battant.

Son père la dévisagea d'un air soupçonneux.

— On aurait dit que ça venait de ta chambre. Je préfère monter vérifier.

— Non ! s'écria-t-elle, affolée à l'idée qu'il surprenne Flamme endormi et que celui-ci n'ait pas songé à se rendre invisible. J'y vais !

— Attends-moi ! cria son père.

Mais déjà elle grimpait l'escalier quatre à quatre. Elle n'avait pas le temps de réfléchir. Son père était sur ses talons. Un picotement lui parcourut la colonne vertébrale. Elle entra en trombe dans sa chambre, referma la porte et s'appuya de tout son poids contre le battant.

— Oh, non ! gémit-elle.

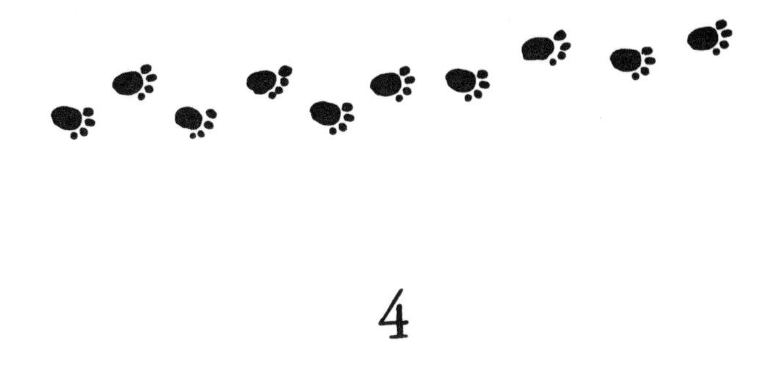

4

Flamme se tenait au milieu de la couette, les poils et les moustaches crépitants d'étincelles.

Le sac en plastique qui contenait le carnet d'Inès gisait sur le sol. Pas étonnant qu'il ait fait un tel vacarme : il avait maintenant la taille de la descente de lit et lançait des étincelles multicolores dans toutes les directions.

— Mon père arrive ! chuchota-t-elle, affolée. Fais quelque chose, Flamme !

Il semblait très ennuyé. Vite, il agita la patte

vers l'énorme sac qui reprit sa taille normale tandis que les paillettes s'évanouissaient.

— Chloé ! appela M. Duval en martelant la porte. Ouvre-moi immédiatement ! Pourquoi m'empêches-tu d'entrer ?

— Flamme ! supplia Chloé.

Le chaton se rendit invisible. Seul un léger creux sur la couette révélait l'endroit où il était couché.

— Une minute ! cria Chloé.

Elle courut vers son placard, attrapa une pile de vêtements et les jeta par terre.

La porte s'ouvrit à toute volée et son père se rua dans sa chambre.

— Que se passe-t-il, ici ? gronda-t-il.

Chloé se retourna avec un grand regard innocent.

— Mais rien, voyons ! Ah, tu parles du gros boum que nous avons entendu ? C'est le cadeau d'Inès qui est tombé par terre.

— Ça a fait beaucoup de bruit pour un si petit paquet. Et pourquoi ne voulais-tu pas me laisser entrer ?

— Ma chambre n'était pas rangée... je ne voulais pas que tu la voies dans cet état, mentit-elle de nouveau en ramassant un tee-shirt.

M. Duval se frotta le nez. Il commençait à larmoyer.

— Atchoum !

— C'est sans doute la poussière, murmura Chloé en le poussant dehors. Je vais donner un coup d'aspirateur.

M. Duval écarquilla les yeux, stupéfait.

— Quoi ? Atchoum ! Tu veux passer l'aspirateur ? Tu es sûre que tu vas bien ?

— Oh, je suis en pleine forme. Et un peu de ménage ne me fera pas de mal, tu sais.

Son père repartit. Elle le suivit des yeux jusqu'au bas de l'escalier puis elle revint dans sa chambre et se laissa tomber sur le lit.

— Ouf ! On a eu chaud !

Flamme vint frotter sa tête contre son bras.

— Je suis désolé. Je voulais transformer le cadeau d'Inès. Mais j'ai utilisé trop de magie et il est devenu énorme !

— C'est le moins qu'on puisse dire ! s'esclaffa Chloé. Bah… ce n'est pas grave. Les choses sont rentrées dans l'ordre.

— Tu n'es pas fâchée ? s'étonna Flamme.

— Comment pourrais-je t'en vouloir ? répondit-elle en caressant ses petites oreilles duveteuses. Tu voulais me faire plaisir.

Elle prit le sac et regarda à l'intérieur.

— Oh, qu'il est beau !

Non seulement le petit carnet avait doublé de taille mais il était à présent recouvert de velours rose et décoré de perles brillantes et d'un galon violet.

— En plus, il est assorti au stylo. Inès va l'adorer ! Oh, merci, merci beaucoup, Flamme !

— J'aimerais vraiment travailler dans un cirque plus tard, confia Chloé à Inès alors qu'elles se rendaient à la maison des jeunes.

Flamme avait sorti la tête de son sac et regardait autour de lui.

— Toi, travailler dans un cirque ! gloussa Inès. Et comment t'appelleras-tu ? La céleste Chloé ? Ça finira en Chloé l'éclopée ! Mesdames et messieurs, nous vous présentons un numéro de trapèze unique au monde ! Voici la céleste Chloé, dans l'envolée sans retour ! annonça-t-elle d'une voix sérieuse avant d'exploser de rire.

Chloé ne put s'empêcher de rire, elle aussi. Mais elle regrettait d'avoir parlé.

— Pas tout de suite, évidemment ! expliqua-t-elle quand Inès retrouva son sérieux. Je sais qu'il faudra que je travaille beaucoup pour y arriver. Mais il faut bien commencer un jour, non ?

— Tu ne voudrais pas changer de disque ? marmonna Inès.

Chloé dévisagea son amie, atterrée.

— Oh, je te fatigue avec mon cirque ! Il fallait me le dire plus tôt.

Quand elles arrivèrent à la maison des jeunes, Chloé constata avec angoisse qu'il y avait un monde fou.

— Viens, Flamme. Cherchons un endroit

tranquille où je pourrai me changer, murmura-t-elle en traversant la salle, le chaton dans ses bras.

— Et l'autre qui parle à son chat comme s'il allait lui répondre ! se moqua une fille.

C'était Louise Delagrange, une peste de sa classe qui faisait toujours l'intéressante.

— De quoi tu te mêles ? Je t'ai pas sonnée ! la rabroua Chloé.

Louise rougit mais ne répondit pas. Quelqu'un ricana. Inès pouffa et glissa son bras sous celui de Chloé pour l'entraîner.

— Allons vite nous changer. Et excuse-moi pour ma réflexion de tout à l'heure. J'étais de mauvaise humeur.

— Ce n'est pas grave. Je suis très contente que tu sois là.

— C'est vrai ?

— Tu es ma meilleure amie, non? Ce ne serait pas drôle sans toi !

Célia les aperçut alors qu'elles s'étaient changées. Elle s'approcha d'elles, Presto sur ses talons.

— Salut, Chloé ! Salut, Inès ! Chouette ! Tu es venue avec Flamme. Excellente idée !

Chloé posa le chaton par terre. Presto poussa un jappement de joie et le renifla en remuant la queue.

Victor Tomani frappa dans ses mains pour réclamer le silence.

— Bienvenue à tous. Pouvez-vous vous rapprocher ? Je voudrais vous dire deux mots sur l'objectif de ces cours, avant de passer à l'échauffement.

— Que c'est passionnant ! s'exclama Louise en étouffant un bâillement.

— Quelle rigolote ! s'esclaffa Inès.

— Je ne la trouve pas drôle du tout ! protesta Chloé. Et je me demande ce qu'elle fiche là.

— Elle plaisantait.

— Tu parles ! Je suis venue ici pour apprendre, pas pour entendre ses réflexions débiles.

— Je croyais qu'on venait pour s'amuser.

Chloé ne répondit pas. Elle écoutait Victor. Il expliquait que ses cours leur donneraient confiance en eux.

— Bon, trêve de discours et place à l'action ! conclut-il gaiement quelques secondes plus tard. Nous sommes nombreux à vous encadrer, donc n'hésitez pas à nous poser des questions. Vous avez le choix entre différentes disciplines. À vous de voir celle qui vous attire.

Chloé décida de se joindre aux jeunes qui entouraient Célia et sa mère.

— À plus tard. Amuse-toi bien, dit-elle à Inès qui, elle, se dirigeait vers des paniers remplis de massues, de cerceaux et de balles.

— Certaines d'entre vous ont-elles déjà utilisé un tremplin ? demanda Olga.

Chloé et trois autres filles levèrent la main.

— Parfait, vous quatre, allez avec Célia. Moi, je travaillerai au sol avec les autres.

Pendant qu'elle attendait son tour, Chloé constata avec surprise qu'Inès jonglait avec trois balles. Son amie croisa son regard et lui décocha un sourire radieux. Chloé lui répondit d'un signe de la main, ravie de la voir enfin se détendre.

— À toi, Chloé ! l'appela Célia.

Chloé se tourna vers le tremplin, inspira profondément et s'élança. Mais au moment où elle posait son pied d'appel, la voix désagréable de Louise la déconcentra.

— Oh là là ! C'est nul, leurs trucs ! Y a rien d'autre à faire ?

Déstabilisée, Chloé sentit qu'elle allait mal retomber !

5

Elle jeta un regard affolé autour d'elle et vit Flamme lever une patte. Un picotement lui parcourut le dos et un nuage d'étincelles éblouissantes l'enveloppa tandis qu'elle s'élevait de plus en plus haut dans les airs. Elle effectua un superbe salto vrillé et réalisa un atterrissage parfait, les bras tendus. Tout le monde l'applaudit.

— Bravo ! la félicita Célia. Tu as été stupéfiante !

Chloé se retourna vers Flamme qui lui fit un

clin d'œil. Personne n'avait remarqué les paillettes magiques, apparemment.

— C'était un coup de chance, protesta-t-elle, rouge comme une pivoine. Je ne pourrai jamais le refaire.

En tout cas, pas sans l'aide de Flamme, ajouta-t-elle intérieurement.

— Ne dis pas ça, intervint Olga. Nous sommes tous plus doués que nous ne le croyons, toi en particulier !

— Merci.

Mais elle avait encore les jambes flageolantes quand elle alla s'asseoir.

Flamme sauta sur ses genoux.

— Ça va ?

— Oui, heureusement que tu étais là. Tu as été génial, Flamme ! Sans toi, je me serais fait très mal.

Les yeux du chaton scintillèrent.

— J'étais trop content de t'aider.

À la fin du cours, Chloé remit son survêtement et dit au revoir à Célia. Puis elle gagna la sortie avec Inès, Flamme trottinant sur ses talons.

— Je t'ai vue jongler. Tu es vraiment douée !

— Fais pas semblant de t'intéresser à moi ! marmonna Inès.

Chloé s'arrêta net, vexée.

— Qu'est-ce que tu insinues?

Inès se campa devant elle, la mine pincée.

— Faut toujours que tu fasses la maligne en public, c'est plus fort que toi!

— Mais pas du tout. J'ai failli tomber et...

Comme il lui était impossible de s'expliquer sans parler des pouvoirs magiques de Flamme, elle dut se taire.

Louise et un groupe de filles passèrent devant elles.

Louise se tourna vers Inès.

— Tu viens?

Inès s'empressa de la rejoindre.

— Je te laisse, Chloé. J'ai promis à Louise de l'aider pour son devoir d'histoire, lança-t-elle sans se retourner.

Chloé suivit son amie des yeux, muette de surprise. Inès n'avait jamais aidé personne.

Flamme miaula doucement pour qu'elle le prenne dans ses bras. Elle le souleva avec délicatesse. Il frotta son petit nez froid contre son menton.

— Vous êtes fâchées à cause de moi. Je suis désolé.

Chloé lui embrassa le dessus de la tête.

— Tu n'y es pour rien. C'est ma faute. Chaque fois que j'ouvre la bouche, Inès prend un air exaspéré. Je ne sais plus quoi faire.

Le jour de l'anniversaire d'Inès arriva. Chloé décida de glisser son cadeau avec une carte dans sa boîte aux lettres avant de se rendre en cours. Elle ne se sentait pas le courage de les lui remettre à l'école.

— J'ai trop peur qu'elle me les jette à la figure, avoua-t-elle à Flamme.

— Ça m'étonnerait de sa part, protesta le chaton en fronçant le museau.

Il avait raison mais elle ne voulait prendre aucun risque.

Au moment où elle allait mettre son paquet dans la boîte aux lettres, la mère d'Inès ouvrit la porte.

— Bonjour, madame Manin, la salua-t-elle poliment. Pourriez-vous remettre ce cadeau à Inès, s'il vous plaît ?

— Bonjour, Chloé. Et si tu entrais plutôt lui donner toi-même ? Cela lui rendra peut-être le sourire. Elle ne se sent pas bien, ce matin.

— Ah bon ? Elle ne va pas en classe ?

— Non, pas aujourd'hui. Elle a mal au ventre. Mais je ne pense pas que ce soit très grave. Tu ne veux pas aller lui dire bonjour ?

Chloé entendit au même moment un rire qu'elle aurait reconnu entre mille. Louise Delagrange tenait déjà compagnie à Inès.

— Non, merci. Dites-lui seulement que je

suis passée et que je lui souhaite de se remettre vite.

La journée lui parut très longue. Son amie lui manquait. Et elle craignait que Louise ne prenne sa place !

De retour chez elle, elle donnait à manger à Flamme dans sa chambre lorsque sa mère l'appela.

— Chloé ! Inès au téléphone !

— Merci, j'arrive !

Elle dévala l'escalier et attrapa le combiné.

— Salut, Inès ! Ça va mieux ?

— Oui, je suis complètement remise, répondit cette dernière d'une voix distante. Et merci pour ton cadeau. Je l'adore. C'était gentil de te souvenir de mon anniversaire.

— Comment aurais-je pu l'oublier ! protesta Chloé, sidérée.

— Pourquoi tu n'es pas venue me voir pour

me remonter le moral ? Tu savais que j'étais malade.

— Tu avais déjà Louise avec toi. On l'entendait glousser à cent kilomètres à la ronde !

— Elle est très sympa quand on la connaît mieux, rétorqua Inès d'un ton sec.

Chloé se fichait de Louise comme de sa première chemise. Tout ce qu'elle voulait, c'était s'entendre avec Inès comme avant.

— Tu retourneras en cours demain ?

— Oui. Mais il faut que je te quitte. Au revoir.

Et Inès lui raccrocha au nez.

Chloé remonta dans sa chambre en traînant les pieds et s'allongea sur son lit. Inès ne lui avait téléphoné que par politesse. Elle caressa Flamme qui ronronna si fort que tout son corps en vibrait.

— Heureusement que tu es là, murmura-t-elle. Je ne sais pas ce que je ferais sans toi.

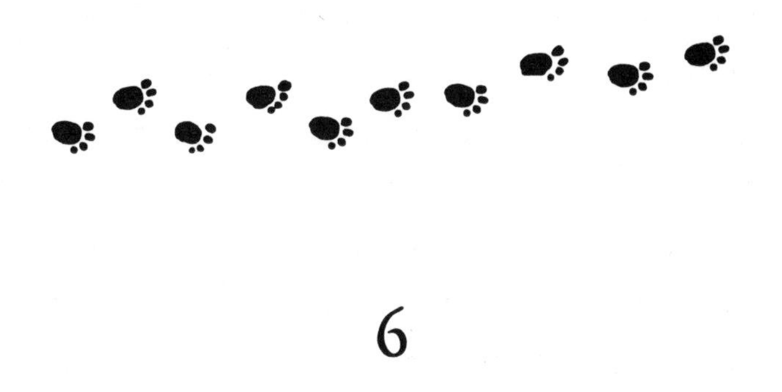

6

Au cours de la semaine suivante, Chloé croisa Inès tous les jours à l'école ou à la maison des jeunes, sans jamais avoir la chance de lui parler seule à seule. Inès ne quittait plus Louise et ses amies.

— Vous êtes fâchées, Inès et toi ? demanda Célia, un soir, alors qu'elle l'aidait à ranger les matelas.

— Elle s'est fait une nouvelle amie. Elle n'a

plus besoin de moi maintenant, répondit Chloé d'un ton qui se voulait décontracté.

Elle fut trahie par les larmes qui lui montèrent aux yeux.

Célia lui passa un bras autour des épaules.

— Sois patiente. Elle reviendra, tu verras.

— Peut-être, renifla Chloé.

— Tiens, j'ai quelque chose pour toi, ajouta Célia en lui tendant des tickets.

— Oh, merci ! Des places pour le cirque !

— Samedi, nous donnerons notre première représentation de la saison. Tous ceux de la maison des jeunes sont invités. Amène aussi tes parents. Tu penses pouvoir venir ?

Chloé lui sourit à travers ses larmes, toute ragaillardie.

— Évidemment !

— Vite, Flamme, saute dans ma besace ! Je t'emmène au spectacle, annonça Chloé, le samedi soir.

— Merveilleux ! ronronna-t-il.

— As-tu réellement besoin d'un sac aussi grand ? remarqua son père quand elle monta dans la voiture.

— Oui, il est plein de trucs dont j'ai besoin, rétorqua-t-elle en espérant qu'il ne lui demanderait pas de quoi il s'agissait. Allez, papa, démarre, on va être en retard !

— Holà ! Du calme, jeune demoiselle !

L'impatience de Chloé monta encore d'un cran quand ils parvinrent au cirque. Elle s'assit avec ses parents au premier rang, son sac sur les genoux. Inès arriva, en compagnie de ses parents, elle aussi. À la grande surprise de Chloé, elle vint occuper la place libre à côté d'elle.

Chloé se demanda si Célia n'y était pas pour quelque chose.

— Bonsoir, dit-elle avec un petit sourire nerveux. Je sens qu'on va bien s'amuser.

— Oui, répondit Inès.

Ce petit oui lui fit un plaisir fou : il signifiait qu'Inès ne boudait plus.

Des projecteurs multicolores illuminèrent la piste, la musique retentit et Madame Loyale franchit le rideau étoilé, en queue-de-pie et haut-de-forme noirs.

— Bonsoir, mesdames ! Bonsoir, messieurs ! Et bonsoir, les enfants ! Bienvenue au cirque Boulard !

La piste fut brusquement envahie d'acrobates, de jongleurs et d'équilibristes juchés sur des échasses ou des monocycles. Les uns formèrent une pyramide humaine pendant que les autres exécutaient toutes sortes de tours, sous le regard émerveillé de Flamme qui les dévorait de ses grands yeux vert émeraude.

Vinrent ensuite les comiques.

— Nous avons besoin d'une assistante ! brailla un clown au teint blanc, au nez rouge et aux cheveux frisés bleu électrique. Toi ? Oui, toi ! dit-il, le doigt pointé sur Inès. Approche, s'il te plaît.

La fillette devint écarlate. Elle aurait voulu disparaître sous terre mais des mains la poussèrent en avant. Les clowns l'entourèrent pour lui indiquer à voix basse ce qu'ils attendaient d'elle. Ensuite ils la coiffèrent d'une perruque rouge et lui firent enfiler une grande salopette à carreaux.

À la stupéfaction de Chloé, Inès se mit à jongler avec six balles. Elle était excellente !

Inès laissa alors tomber une balle. Le cœur de Chloé s'arrêta. Inès, imperturbable, posa un doigt sur sa bouche et fit une grimace. Le public éclata de rire.

— Ils croient qu'elle l'a fait exprès, chuchota Chloé à Flamme. Elle est douée, tu ne trouves pas ?

Arriva enfin le numéro qu'elle attendait tant.

Les Tomani exécutèrent au trapèze des acrobaties à couper le souffle. Chloé avait du mal à les reconnaître dans leurs somptueux costumes. Ils lui paraissaient presque irréels. Olga et Célia portaient un maquillage extraordinaire et leurs diadèmes scintillaient sous les projecteurs. Chloé frémit de peur et de ravissement en voyant Célia suspendue au trapèze uniquement par les orteils.

À la fin du spectacle, les artistes vinrent saluer, ainsi qu'Inès. Chloé applaudit à en avoir mal aux mains.

Pendant que ses parents se dirigeaient vers la sortie, elle s'attarda.

— C'était stupéfiant ! souffla-t-elle à Flamme. Quelle bonne idée a eue Célia de choisir Inès parmi les spectateurs. Ah, j'espère être un jour assez douée pour travailler dans un cirque !

— Je suis sûr que tu y arriveras, miaula Flamme. Tu dois réaliser ton rêve.

Elle le caressa avec tendresse. Non seulement Flamme était magique mais c'était le meilleur des amis. De ceux qui savent vous réconforter et vous inciter à donner le meilleur de vous-même.

À la sortie du cirque, Chloé aperçut Inès et ses parents. Sans réfléchir, elle courut vers son amie.

— Tu as été époustouflante ! On n'avait pas l'impression que tu avais le trac. Tout le monde t'a adorée.

— Merci, répondit Inès avec un petit sourire gêné. Euh… il faut que j'y aille. Mes parents m'attendent.

Quand elle repassa devant elle en voiture, Inès agita la main. Chloé sentit son cœur se gonfler de bonheur, certaine qu'elles se réconcilieraient bientôt. Au moment où elle s'apprêtait à rejoindre son père et sa mère, une petite porte s'ouvrit sur le côté du cirque. Célia apparut, encore maquillée.

— Coucou, Chloé ! Tu as aimé le spectacle ?

— C'était merveilleux ! Fantastique !

Presto se précipita sur le sac que Chloé avait posé par terre et se mit à aboyer.

— Allons, du calme, murmura-t-elle en le repoussant doucement du pied, de peur qu'il n'attire l'attention de ses parents. Ouste ! Va-t'en, Presto !

Mais il posa les deux pattes sur le sac et enfonça son museau dans l'ouverture.

— Qu'est-ce qu'il cherche ? s'enquit le père de Chloé.

— Aucune idée, répondit-elle d'un air innocent.

— C'est bizarre !

Son père se pencha pour ouvrir complètement la fermeture Éclair. Chloé le laissa faire, persuadée que Flamme s'était rendu invisible.

C'est alors qu'un énorme chien noir et blanc déboula de la ruelle voisine et se rua sur Presto. Celui-ci poussa un hurlement de terreur, plongea dans le sac à moitié ouvert et atterrit sur le chaton.

— Meooooou ! hurla ce dernier.

— Que diable... s'exclama M. Duval en bondissant en arrière.

Le molosse en profita pour saisir le sac par la bandoulière et s'enfuit en le traînant derrière lui.

— Hé ! Reviens ici tout de suite ! hurla Chloé.

Elle le pourchassa, suivie par ses parents. Elle n'avait pas le temps d'élaborer le moindre plan. Flamme était en danger. Il n'oserait jamais se servir de ses pouvoirs magiques devant son père et sa mère.

La ruelle se terminait en impasse. Le molosse, coincé, lâcha le sac et se retourna vers ses poursuivants en grondant d'une façon menaçante. Chloé, impressionnée par ses crocs acérés, n'osait pas s'approcher.

Elle se souvint brusquement qu'elle avait des bonbons à l'anis dans sa poche. Et les chiens adoraient ce parfum, non ? Elle sortit le paquet et l'agita. Le chien huma l'air et se lécha les babines.

Priant le ciel, elle lança deux bonbons à quelques mètres de là. Sans la quitter des yeux, le chien s'avança lentement avant d'engloutir les deux pastilles d'un seul coup de langue.

Vive comme l'éclair, Chloé bondit en avant, attrapa son sac, jeta le reste des bonbons par terre et s'enfuit à toutes jambes.

Dès qu'elle déboucha dans la rue, elle ouvrit sa besace.

— Flamme, ça va ? haleta-t-elle. J'ai bien cru que cet horrible monstre allait te dévorer !

Quand elle prit le chaton dans ses bras, quelques étincelles brillèrent dans sa fourrure soyeuse. Il frotta sa tête contre son bras.

— Je suis sain et sauf. Merci d'être venue à mon secours, Chloé. Tu as été très courageuse. Il aurait pu te mordre.

— J'ai eu surtout très peur qu'il te blesse, murmura-t-elle, bouleversée à l'idée du danger auquel il venait d'échapper.

Elle plongea la main dans son sac pour en sortir Presto. Le petit chien tremblait comme une feuille. Il poussa un jappement de joie et se mit à lécher les oreilles de Flamme.

— Chloé ?

Les regards interrogateurs de M. et Mme Duval allaient du petit chien au chaton.

Chloé baissa les yeux. Flamme n'avait pas eu le temps de se rendre invisible. Elle était perdue !

— Je crois que tu nous dois une explication, jeune fille ! déclara son père d'une voix sévère.

7

Il ne lui restait qu'une solution : elle fondit en larmes.

— Oh, ma pauvre chérie ! gémit Mme Duval en la prenant dans ses bras. Ce méchant chien ne t'a pas mordue, j'espère ?

Chloé secoua la tête.

— Non, c'est pas ça, sanglota-t-elle. C'est juste que... que...

Sa mère la serra contre elle.

— Je m'en doutais. Vous ne vous entendez plus comme avant, Inès et toi.

M. Duval dévisagea sa femme et sa fille sans comprendre.

— Quel rapport avec ce chaton ? En tout cas, pas étonnant que j'éternue sans arrêt ! Chloé devait le cacher à la maison. Dans sa chambre, même !

— Nous en parlerons plus tard, le rabroua sa femme en tendant un mouchoir à Chloé. Tu ne vois pas que ta fille est toute retournée ?

Chloé s'aperçut alors qu'elle pleurait pour de bon. Elle ne pouvait pas s'arrêter. Tout allait si mal entre elle et Inès ces derniers temps. Elle l'avait supporté grâce à Flamme. Mais maintenant qu'elle risquait de le perdre, elle craquait.

— Quant à cet animal... reprit M. Duval.

— Je ne peux pas l'abandonner ! hurla Chloé. C'est mon... mon ami. Je t'en prie, je t'en supplie, papa, permets-moi de le garder !

M. Duval se tourna vers sa femme. Celle-ci hocha la tête.

— Eh bien... s'il compte autant pour toi, soit ! Mais il devra rester dans ta chambre.

— Je te promets qu'il n'en sortira pas !

Chloé faillit se jeter à son cou, puis elle se souvint qu'elle tenait Flamme dans ses bras.

— Je te promets qu'il ne s'approchera pas

de toi. Et je t'achèterai une gigantesque boîte de mouchoirs en papier, au cas où ! Oh, merci, mon petit papa chéri ! Tu es le plus merveilleux de tous les papas du monde !

Quand elle retourna à la maison des jeunes, le lundi soir, tous les élèves ne parlaient que de la représentation du samedi.

— Je suis ravi que cela vous ait plu, leur déclara Victor. Car vous aurez bientôt l'occasion de jouer en public !

— Qu'est-ce qu'il veut dire ? demanda Chloé à Inès qui se tenait près d'elle.

Inès haussa les épaules.

— J'en sais rien.

— Dans quinze jours aura lieu le défilé du carnaval, poursuivit Victor. Et les stagiaires de la maison des jeunes sont invités à y participer. Nous installerons une piste de cirque dans le parc, à l'endroit où le cortège s'achèvera. Il ne vous reste plus qu'à organiser votre spectacle.

Tout le monde se mit à parler en même temps.

— Bon, on réglera les détails plus tard, cria Victor au-dessus du brouhaha. À vous de décider ce que vous voulez faire. Je vous suggère de constituer des équipes de deux ou trois afin de préparer votre numéro.

Chloé n'avait pas besoin de réfléchir. Il n'y avait qu'une seule personne qu'elle souhaitait avoir comme partenaire.

— Viens, Flamme.

Le chaton sur ses talons, elle se dirigea vers Inès. Celle-ci lui tournait le dos et sursauta quand elle la prit par le bras.

— Si on se mettait ensemble ? proposa Chloé, rouge d'excitation. On pourrait combiner le jonglage et les acrobaties. Et ça ne me gênerait pas de me déguiser en clown...

— Non, mais tu l'as vue, avec son chat ! s'esclaffa Louise. Elle veut copier Célia avec Presto, ou quoi ?

— Oh, tu pourrais te taire pour une fois, Louise ! la rabroua Chloé, excédée. Alors, qu'en penses-tu, Inès ?

— Je ne sais pas…

— Eh bien, moi, je sais ! intervint Louise en s'interposant entre elles. Tu l'as laissée tomber et maintenant tu lui cours après parce que Célia n'a plus le temps de s'intéresser à toi !

Chloé en resta bouche bée.

— N'importe quoi ! Inès, tu ne vas pas la croire, j'espère ?

Inès rougit.

— Non, mais il faut avouer que Louise n'a pas tout à fait tort…

Révoltée par tant d'injustice, Chloé s'écarta, les poings crispés de colère.

— Très bien ! Tu crois ce que tu veux ! En

tout cas, une chose est sûre, maintenant – je ne risque pas de faire équipe avec toi, même si tu me payais !

Le soir, Chloé resta des heures dans le noir à attendre le sommeil. Comme elle regrettait ce qu'elle avait dit à Inès ! Cela n'avait fait qu'aggraver la situation et, à présent, elle ne savait plus comment réparer les dégâts.

Elle soupira. Impossible de dormir. Elle alluma sa lampe de chevet et caressa doucement le chaton.

— Flamme, tu dors ?

Il s'étira.

— Ça ne va pas, Chloé ? s'inquiéta-t-il d'une voix somnolente.

— Je n'arrête pas de penser à Inès. Comment lui faire comprendre que je souhaite sincèrement faire équipe avec elle ?

Elle eut alors une idée.

— J'ai trouvé ! Mais j'aurais besoin de ton aide, Flamme. Écoute...

Flamme dressa les oreilles pendant que Chloé lui dévoilait son plan.

— Quand veux-tu y aller ? demanda-t-il.

— Tout de suite ! Il n'y aura personne.

Chloé se leva et s'habilla.

— Surtout pas un bruit. Si jamais papa et maman me surprennent à faire le mur en pleine nuit, ils me priveront de sortie jusqu'à la fin de mes jours.

Elle attrapa un drap dans le placard et le roula sous son bras. Puis elle descendit sur la pointe des pieds et se glissa dehors. La rue déserte, éclairée seulement par les réverbères, lui parut sinistre.

Heureusement que Flamme l'accompagnait !

Ils parcoururent en peu de temps la courte distance qui les séparait du cirque.

— Trouvons un endroit où personne ne risque de nous voir. Si on allait dans l'impasse d'où venait cet affreux chien ?

Flamme l'approuva d'un miaulement.

Une fois dans la ruelle, Chloé étala le drap par terre.

— Très bien. Il nous faut d'abord de grosses lettres bien voyantes pour que ce soit lisible de loin.

— Pas de problème !

La fourrure de Flamme jeta des étincelles et Chloé sentit un picotement familier lui parcourir la colonne vertébrale tandis que le chaton levait sa petite patte. Une nuée de paillettes enveloppa le drap. Celui-ci se gonfla, s'étira et se transforma en bannière.

Sa frimousse crispée, Flamme se concentra encore : *Plaf!* un jet de peinture bleu vif et jaune, surgi de nulle part, zébra le tissu. *Chlac!* Un galon à franges doré ourla les bordures. *Zoum!* Une pluie de grosses paillettes rouges traça des mots sur toute la longueur.

— Ouah! C'est splendide! Encore mieux que je ne l'imaginais. Oh, merci beaucoup, Flamme.

— Tout le plaisir est pour moi, miaula-t-il, très fier de lui.

— Il ne nous reste plus qu'à l'accrocher au mur.

— Laisse-moi faire !

Il lança une nouvelle nuée d'étincelles qui formèrent quatre mains scintillantes. À la stupéfaction de Chloé, elles saisirent les quatre angles de la bannière et s'élevèrent dans la nuit.

Chloé et Flamme les suivirent en courant. Arrivées devant le cirque, elles suspendirent le bandeau sur la façade. Il y resta plaqué comme s'il était fixé à la colle extra-forte. Leur tâche accomplie, les mains s'évanouirent et retombèrent en paillettes sur la fillette et son chaton.

Chloé contempla la banderole avec admiration.

— Eh bien, si après ça, Inès refuse toujours de faire la paix, c'est qu'il n'y a plus aucun espoir ! Merci de ton aide, Flamme, répéta-t-elle en étouffant un bâillement. Je vais pouvoir enfin dormir. Du moins si on rentre sans se faire pincer.

Flamme lui sourit tandis qu'un crépitement parcourait ses moustaches. Un éclair aveugla Chloé et elle sentit un contact frais et doux contre sa joue. Elle écarta la tête pour regarder ce que c'était et reconnut son oreiller ! Elle se trouvait dans son lit ! La couette s'enfonça sous le poids de Flamme qui vint se blottir contre elle en ronronnant. Elle s'endormit sur-le-champ.

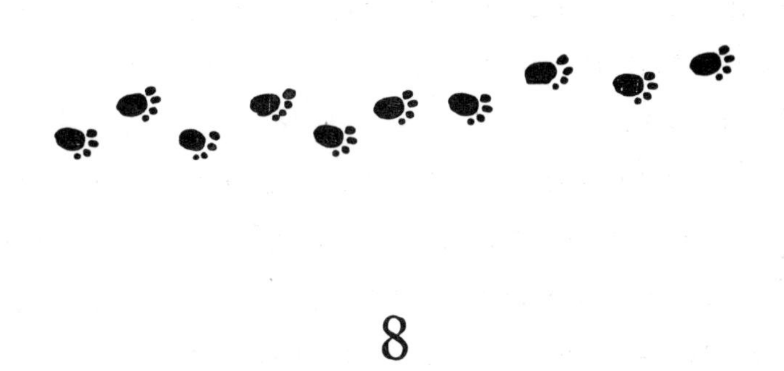

8

La bannière flottait au-dessus de l'entrée du cirque avec son galon doré qui chatoyait sous le soleil couchant. Elle annonçait :

VENEZ TOUS VOIR LES FABULEUSES INÈS ET CHLOÉ AU DÉFILÉ DU CARNAVAL !

Quand Chloé et Flamme tournèrent le coin de la rue, ils faillirent percuter un petit attroupement d'élèves en admiration devant la banderole. Chloé repéra Inès et Louise parmi eux. Dès qu'Inès l'aperçut, elle se précipita vers elle.

— Salut ! commença-t-elle d'un ton embarrassé.

— Salut, répondit Chloé. Euh... Alors, qu'est-ce que t'en penses ?

— C'est génial ! Comment as-tu fait pour l'accrocher là-haut ?

— On m'a aidée, éluda Chloé. Écoute, je suis désolée pour l'autre jour. Sincèrement, crois-moi, j'ai toujours rêvé d'être ta partenaire.

Inès se mordilla la lèvre.

— Je sais. Et ne va pas imaginer que je gobe la moitié de ce que Louise me raconte. Mais elle voulait juste me défendre. Elle savait que j'étais malheureuse de m'être disputée avec toi.

Louise remonta d'un cran dans l'estime de Chloé. Peut-être n'était-elle pas si méchante, finalement.

— Vraiment ? murmura-t-elle avec un petit sourire contrit. Dans ce cas, je me suis conduite comme une idiote.

— Moi aussi, reconnut Inès en la serrant dans ses bras. Alors, nous sommes de nouveau amies ?

— Quelle question ! Et que penses-tu de notre nom d'artistes ?

— Je l'adore. Les fabuleuses Inès et Chloé ! Nous allons faire un tabac. Allons vite préparer notre numéro !

À la fin du cours, leur spectacle était au point. Elles avaient choisi la simplicité. Chloé marcherait sur les mains tandis qu'Inès jonglerait.

Elles continuèrent à s'exercer pendant le week-end et dès qu'elles avaient un moment de libre. Célia avait proposé de leur prêter des costumes, donc tout se présentait bien.

— Tu n'as pas vu Flamme ? demanda subitement Chloé dans le vestiaire, un soir après leur entraînement.

Inès secoua la tête.

— Il était là il y a une minute à peine.

Flamme ne la quittait jamais d'une semelle. Inquiète, Chloé partit aussitôt à sa recherche. Elle finit par le découvrir tapi derrière une pile de matelas.

— Flamme ? Que se passe-t-il ? chuchota-t-elle en le prenant dans ses bras.

Il tremblait de tous ses membres et ses yeux verts brillaient de terreur.

— Les espions de mon oncle ne sont pas loin. Ils m'ont repéré.

Chloé se transforma en statue de glace. Elle avait espéré que ce moment n'arriverait jamais.

— Oh, non ! Je... je suppose que tu vas devoir t'en aller.

Elle serra le chaton contre elle. Elle sentit sous ses doigts son petit cœur qui battait à se rompre. Elle essaya de garder son calme, mais une grosse boule se forma dans sa gorge.

Tout à coup, il redressa les oreilles et se détendit.

— Mes ennemis sont partis, miaula-t-il. Le danger est écarté.

— Quelle chance ! Tu peux donc rester avec moi ?

— Oui, encore un peu. Mais s'ils reviennent, il faudra que je m'en aille. Je n'aurai peut-être même pas le temps de te prévenir.

— Je comprends, murmura-t-elle en le remettant délicatement dans son sac.

Ses ennemis ne l'avaient pas trouvé cette fois-ci mais ils continueraient à le chercher. Chloé et Flamme le savaient l'un et l'autre.

Assis sur la commode de Chloé, les yeux plissés de satisfaction, Flamme regardait les deux amies répéter leur numéro.

— Même moi, je dois reconnaître que ce n'était pas mal ! déclara Inès quand elles eurent terminé.

— Il serait temps parce que le carnaval a lieu demain.

Inès fit une grimace.

— Ça fiche la frousse. Mais c'est aussi très excitant !

— J'ai hâte d'y être. Tu te rends compte que nous allons défiler avec un vrai cirque !

Chloé raccompagna Inès au rez-de-chaussée.

— Je suis content que vous soyez de nouveau amies, lui dit Flamme quand elle remonta dans sa chambre.

— Moi aussi, acquiesça-t-elle en le caressant. Je ne me souviens même plus de la raison de notre brouille. Mais je suis surtout contente de ne plus avoir à te cacher à mes parents. Papa n'éternue presque plus quand tu t'approches de lui. Tu pourrais vivre avec nous pour toujours si tu voulais.

Le regard de Flamme se voila de tristesse.

— Tu sais bien que ce n'est pas possible, Chloé.

Elle le serra dans ses bras en soupirant.

— Oui, mais j'essaie de ne pas y penser.

Tambour-major en tête, la fanfare ouvrait le cortège. Suivait l'école du cirque menée par Madame Loyale, en chapeau haut de forme et bottes vernies noires. Le char des Tomani, décoré de ballons argentés et d'une banderole scintillante, était surmonté d'un trapèze sur lequel les trois artistes se balançaient à tour de rôle. Presto, assis à côté de Célia, remuait la queue, très fier dans son petit manteau lamé or.

Chloé et Inès marchaient le long du char. Inès était superbe avec sa perruque frisée rouge, sa chemise jaune vif et sa salopette à carreaux. Quant à Chloé, le visage maquillé en blanc avec un gros nez rouge et un grand sourire dessiné sur ses lèvres, elle avait choisi un justaucorps bleu vif et des collants argent. Elle portait un sac à dos avec Flamme à l'intérieur, bien à l'abri de ses ennemis et de la foule qui se pressait sur les trottoirs.

— Ça te plaît ? cria Célia à Chloé.

— C'est fantastique ! J'adore ! N'est-ce pas, Inès ?

Son amie hocha la tête, les yeux brillants.

— Regarde, voilà nos parents ! Ils sont ensemble !

— Coucou ! crièrent-elles à l'unisson.

Les spectateurs applaudissaient et poussaient des cris de joie sur le passage du cortège. Un clown perché sur des échasses et armé d'un Klaxon déclencha des vagues de rires.

Le défilé s'engagea dans le parc qui semblait féerique avec les guirlandes de lumières accrochées dans les arbres.

Le char des Tomani s'arrêta devant la piste improvisée.

— Je reviens ! cria Inès, soudain nerveuse, avant de se ruer vers les toilettes.

Chloé avait le trac, elle aussi. Le moment était venu d'exécuter leur numéro. Elle posa son sac à dos par terre et l'ouvrit pour parler à Flamme.

Le sac était vide !

— Flamme ? Où es-tu ? murmura-t-elle.

Il n'avait disparu qu'une seule fois. À ce souvenir, Chloé sentit une horrible inquiétude l'assaillir.

Elle aperçut brusquement deux formes sombres près d'un char. Des yeux cruels étincelèrent sous les projecteurs qui éclairaient la piste.

Chloé étouffa un cri, son cœur cessa de battre. Les ennemis de Flamme étaient là ! Il courait un grave danger. Elle devait le prévenir !

Alors qu'elle slalomait à toute allure entre les chars, Chloé vit apparaître, dans une nuée de paillettes, un magnifique lionceau blanc. Et cette fois-ci, un vieux lion grisonnant se tenait à son côté.

Flamme tourna vers elle ses grands yeux verts remplis de douceur.

— Fais bien attention à toi, dit-il d'une voix de velours.

Chloé sentit les larmes lui monter aux yeux.

Elle avait tellement de chagrin qu'elle respirait avec difficulté.

— Au revoir ! Je ne t'oublierai jamais, lança-t-elle d'une voix brisée.

Dans un dernier éclair, Flamme et le lion gris disparurent.

Avec un rugissement de rage, les formes sombres s'évanouirent à leur tour.

Chloé resta pétrifiée, sourde au joyeux tintamarre du carnaval. Flamme lui manquerait terriblement. Mais elle éprouvait une immense fierté qu'il l'ait choisie comme amie. Elle garderait à jamais le souvenir des merveilleux instants passés en sa compagnie.

— Chloé ? l'appela Inès. C'est à nous dans une minute !

Chloé s'essuya les yeux.

— J'arrive !

— Qu'est-ce que tu as ? s'inquiéta Inès en voyant qu'elle avait pleuré.

— Flamme a retrouvé son propriétaire et celui-ci l'a remmené chez lui, improvisa-t-elle. C'était un chat perdu. Je savais que je ne pourrais pas le garder éternellement.

— Oh, quel dommage ! Tu dois avoir beaucoup de chagrin, compatit Inès en la prenant par les épaules. Tu sais, nous ne sommes pas forcées de faire notre numéro si tu ne te sens pas en forme. Je comprendrais.

— Après tout le mal qu'on s'est donné ? Tu plaisantes !

Refoulant sa tristesse, Chloé prit Inès par la main et l'entraîna vers la piste.

Livre 1

Une jolie surprise

Flamme doit trouver une nouvelle amie !

Lisa s'ennuie chez sa tante à la campagne. L'arrivée d'un adorable chaton angora roux va redonner des couleurs à son été...

Livre 2

Une aide bien précieuse

Flamme doit trouver une nouvelle amie !

Soudain la solitude de Camille, au pensionnat, se trouve illuminée par l'apparition d'un adorable chaton angora, noir et blanc, doté de pouvoirs magiques...

Livre 3

Entre chats

Flamme doit trouver une nouvelle amie !

Les rêves de Julie deviennent réalité : un chaton, angora, beige et brun, débarque dans sa vie...

Livre 4

Chamailleries

Flamme doit trouver une nouvelle amie !

Jade a bien du mal à supporter son affreuse cousine, quand un chaton tigré gris l'adopte...

Livre 5

En danger

Flamme doit trouver une nouvelle amie !

Perrine est triste : elle doit aider ses parents à s'occuper d'une pension pour chats, et quitter toutes ses amies !

Cet ouvrage a été imprimé en France par

à Saint-Amand-Montrond (Cher)
en octobre 2008

Cet ouvrage a été composé par
PCA - 44400 REZÉ

12, avenue d'Italie

75627 PARIS Cedex 13

— N° d'imp. 082483/1. —
Dépôt légal : novembre 2008.